CERDDI GWALCH

CW01095191

Odli Wobli

Cerddi

Tony Llewelyn

Lluniau

Helen Flook

Gwasg Carreg Gwalch

I Alaw, Wiliam ac i Nain,
I Ifan Huw a Dili,
I Mari Mw a Bet a Stan;
Dwi'n sori mod i'n sili.

T. Ll. R

Argraffiad cyntaf: 2014
© cerddi: Tony Llewelyn 2014
© darluniau: Helen Flook 2014

Cedwir pob hawl.
Ni chaniateir atgynhyrchu unrhyw ran o'r cyhoeddiad hwn,
na'i gadw mewn cyfundrefn adferadwy, na'i drosglwyddo
mewn unrhyw ddull na thrwy unrhyw gyfrwng, electronig, electrostatig,
tâp magnetig, mecanyddol, ffotogopïo, recordio, nac fel arall,
heb ganiatâd ymlaen llaw gan y cyhoeddwyr, Gwasg Carreg Gwalch,
12 Iard yr Orsaf, Llanrwst, Dyffryn Conwy, Cymru LL26 0EH.

Rhif Llyfr Safonol Rhyngwladol:
978-1-84527-494-8

Mae'r cyhoeddwyr yn cydnabod cefnogaeth ariannol
Cyngor Llyfrau Cymru

Dylunio: Elgan Griffiths

Cyhoeddwyd gan Wasg Carreg Gwalch,
12 Iard yr Orsaf, Llanrwst, Dyffryn Conwy, Cymru LL26 0EH.
Ffôn: 01492 642031
Ffacs: 01492 642502
e-bost: llyfrau@carreg-gwalch.com
lle ar y we: www.carreg-gwalch.com

Argraffwyd a chyhoeddwyd yng Nghymru

Cynnwys

E. T. Evans

Roedd Elin Tomos Evans yn gwylio'r sêr o hyd,
Yn disgwyl yn nosweithiol i long ofod ddod i'r byd.
O'i llofft ym Mro Afallon roedd hi'n treulio pob un awr
Yn gwylio Mars drwy delesgop, rhag i'r dynion gwyrdd ddod lawr.
Doedd hi byth yn mynd i'r ysgol, na'r ysgol Sul na'r Urdd,
Dim ond disgwyl am soseri oedd yn cludo dynion gwyrdd.

Ond un noson daeth newyddion a ddychrynodd bawb i gyd –
U. F. O. 'di cyrraedd – roedd 'na *aliens* ar ein byd.
Ond welodd Elin, druan, mo'r soser laniodd – SBLAT!
Achos roedd Elin Bro Afallon, fel ei thŷ, yn hollol fflat!

Dewyrth Now

Mae Dewyrth Now'n gondyctor
Drwy'r dydd ar fws mawr glas.
Mae'n cerdded rhwng y seti
Heb unwaith droi yn gas.
Un llygad iawn sydd ganddo –
Un degan yw'r un dde,
Mae'n ei sgleinio ar ei lawes
Cyn cychwyn rownd y dre.

Mae'n rhan o swydd condyctor
I ddringo'r staer i'r top
A sicrhau bod teithwyr
Yn talu cyn eu stop.
Ond eith Now byth i entrychion
Y dybl-decyr mawr,
A dyw'r gyrrwr ddim yn deall
Sut mae o'n gallu aros lawr.

Ar waelod un y grisiau
Mae Now i'w weld bob tro,
Yn lluchio rhywbeth bychan, crwn
I fyny at y to:
A dyna yw'r gyfrinach
Pam nad yw'r grisiau'n straen –
Mae'n taflu llygad i fyny fry,
Wrth i'r bws fynd yn ei flaen.

Colli Alwyn

Roedd y nos yn ddu tu allan
A'r gwynt yn chwipio'r coed
Pan sleifiodd Alwyn bach o'i lofft
Lawr y grisiau'n ysgafn droed.

Ei unig fryd oedd gwylio
Rhyw ffilm drwy'r oriau mân,
I flasu peth o'r arswyd
Yng ngolau pŵl y tân.

Yn dawel yn y gwely,
Breuddwydiai'i dad a'i fam,
Heb wybod am yr hunlle
Oedd yn nesu gam wrth gam.

Wrth fflicio drwy'r sianeli
A syllu ar y sgrin
Yn y lolfa ar ei liniau,
Roedd eu mab yn croesi'r ffin.

Wrth i gloch yr eglwys daro
Yr awr dywyllaf un,
Roedd rhyw rym yn tynnu Alwyn
Yn dawel at y llun.

Pan ddeffrowyd ei rieni
Yn fuan wedi dau
Gan sgrechian gwyllt o'r lolfa,
Roedd pob sianel wedi cau.

Daeth ei dad i lawr y grisiau
A safodd yn y drws,
Tarodd y swits heb feddwl –
A diffodd ei fachgen tlws.

Tedi a fi

Mae Tedi bach a fi yn sâl,
Yn swatio yn y gwely,
Dwi'm isio bwyd na darllan llyfr
Na sbio ar y teli.

Does gan y gath ddim byd i'w ddweud,
Mae Mam lawr grisiau'n rhywle.
Mi fethais fynd i'r ysgol ddoe,
Ond mae'n teimlo fel wythnose.

Ffelt pen a llwy yw'r unig ffordd
I 'nghadw i yn ddiddig,
Ma' Ted 'di cael y sbotiau coch
A'r gath 'di cael y ffisig.

Y gath ddu

Mae Modlen y gath, rhyngoch chi a fi, yn ddu
Fel glo i'r tân a phlu y frân; mae'n ddu
Fel het y wrach a slumod bach; mae'n ddu
Fel bol mw-mw a nyth gwdihŵ – mae'n ddu.

Mae hi'n ddu fel tar, yn ddu fel inc –
Ond pam mae ei thafod bach yn binc?

Pam

Roedd Pamela'n fusneslyd,
yn boen i'w thad a'i mam,
Yn gofyn os mai moch bach sgwâr
oedd yn mynd i duniau spam.
Roedd hi'n gofyn pam mae dŵr
yn wlyb, a'r tŵr yn Pisa'n gam?
A pham nad oedd pobol glyfar
yn galw marmalêd yn jam?
Ond yn y sw un diwrnod
wrth fwyta brechdan ham,
gwelodd arwydd 'Llew mawr peryg
o fynyddoedd Fietnam,
peidiwch â dod yn agos!'
Wrth gwrs 'Pam?' ofynnodd Pam.

Er nad oedd yn amser cinio,
llew barus iawn oedd Sam.
Aeth o ddim yn dew ar fod yn llew
oedd yn troi ei gefn ar sgram.
Fe wyliodd merch fusneslyd
yn dringo i lawr o'i phram.
Rhoddodd Sam lam
– wham!
Dim pram,
dim ham;
dim Pam,
'mond pryd.

Dwy jipsan

Dwy jipsan ar blât
Mewn andros o stat
Yn ofnus – ar fin cael eu bwyta.
'O, na!' meddai un,
'Paid â 'ngadael 'ben fy hun.'
'Ocê,' meddai'r llall, 'cer di gynta!'

Bîns

Pwy sy isio bod yn fînsan, 'run fath â'ch mêts i gyd,
Yn ista'n goch a chrwn ar dost, fel pob bîn yn y byd.
Pwy ddwedodd 'rioed wrth fînsan, 'Ti yw'r bîn i mi.
Rwyt ti yn fîn arbennig . . . fu 'na 'run bîn 'rioed fel ti'?
Ond coeliwch chi neu beidio, mae'r bîns bach doeth i gyd
Yn falch o fod yn unffurf, yn goch a chrwn eu pryd.
Mae'r cwestiwn 'Hei, pwy rechodd?' yn gyffredin yn eu clyw,
Ac mae gan fîns draddodiad hen, gwerth chweil, i'w gadw'n fyw;
Nid yw'n embaras iddynt, fel mae bob tro i rai,
Am eu bod i gyd mor debyg – mae pob un yn cael y bai!

Crystia

Bob tro 'dan ni'n cael brechdan,
Dwi'n casáu hen grystia cas –
Maen nhw'n galad ac yn finiog
Ac yn afiach iawn eu blas.

Maen nhw'n crensian fel hen ludw,
Maen nhw'n ddu fel cefn y grât,
Maen nhw'n anodd iawn i'w cuddio
O dan ymyl crwn fy mhlât.

'Dyw 'mrawd ddim isio'u bwyta,
Mae'r ci yn troi ei drwyn,
Ac mae'r brain yn gweiddi 'Ych a fi'
Wrth eu lluchio'n ôl o'r llwyn.

'Mi gei gyrlan am bob crystyn,'
Yw pregeth ddyddiol Mam.
Ond does 'run blewyn ar ben Dad,
A does dim rhaid gofyn pam.

Mam, dwi'n bôrd

'Mam, dwi'n bôrd, 's'na ddim byd i'w wneud.'
'Mae 'na ddigon, 'mond meddwl – sawl gwaith sy raid dweud?'
'Fel be?'
'Wel, fel . . . Sgio, Syrffio, Plymio, Reslo,
Bowlio, Bocsio, Beicio, Dringo.
Acrobatics, Snwcer, Jiwdo,
Badminton a Bridge a Liwdo.
Mah-jong, Marblis, Croquet, Cyrlio,
Rymi, Chwist, Hang-gleidio, Hyrlio.
Deis, Lacrosse a Draffts a Bingo,
Gwyddbwyll, Pocer, Trampolinio.
Criced, 'Sgota, Ping-pong, Hwylio,
Pêl-rwyd, Pêl-droed, Pêl-fasged, Nofio.
Merlota, Darts a Sboncen (Squasho),
Canasta, Foli (pêl) a Cluedo.
Dominôs, Athletics, Sglefrio,
Blacjac, Snap a Marathonio.

Bagatelle, Ju–jitsu, Polo,
Rygbi, Tennis, Triphlyg neidio.
Biliards, Cribbage a Bobsledio,
Ymladd teirw, Treiathlonio.
Saethu, Pŵl, Karate, Rhwyfo,
Cnapan, Codi pwysau, Snorclo.
Neidio Polyn, Tic a Kendo,
Disgen, Morthwyl, Jafelinio.
Aerobics (tîm neu ella solo),
Hoci (ar y rhew neu beidio) . . .'
'Beth am Golff, Mam? Naethoch chi ddim dweud Golff.'
'Naddo, 'ngwas i, dwyt ti'm digon bôrd i fod isio chwarae Golff.'

Picnic

Mae 'na forgrug yn y creision –
Maen nhw'n crensian pan dwi'n cnoi,
Mae 'na bry ym mhob un brechdan,
Mae 'na chwiws bob man dwi'n troi.

Mae 'na wenyn meirch fel *spitfires*
Yn anelu am y jam,
Mae 'na ddraenog hy' o rywle
Wedi'i heglu hi efo'r ham.

Mae 'na dyrchod yn y treiffl
Yn gwneud sŵn hufen fel 'dusgeis',
Ac mae 'na golomennod gwallgo
Yn cael bath yn y pwdin reis.

Mae 'na afr 'di bwyta'r lliain,
Mae'r cig ym mol y ci.
Tro nesa dwi'n cael picnic
Fydd o'n gegin gefn tŷ ni.

Dewyrth Now eto

Mae gan Dewyrth Now un llygad –
Un wydr yw'r un chwith,
Ac fe'i collodd hi un diwrnod
Wrth gymysgu bara brith.

Er iddo chwilio'n wallgo
Drwy'r cyraints, wy a'r blawd,
Aros yn unllygeidiog,
Yn anffodus, wnaeth y brawd.

Daeth gw'nidog draw mewn deuddydd
A bu bron iawn mynd o'i go
Pan welodd rywbeth dan y jam
Yn wincio arno fo.

'Mae'r bara 'na'n fy ngwylio!'
Meddai'r dyn mewn colar gron.
'O peidiwch poeni,' meddai Now,
'Y fi sy bia hon.'

Ond hyd 'noed ar ei orau
Roedd golwg Now yn wael,
A bachodd glamp o fefus
A'i stwffio dan ei ael.

Llewygu wnaeth y gw'nidog,
Yn methu deall pam
Fod un o'i gynulleidfa
Yn llenwi'i ben 'fo jam.

Roedd wyneb Now yn stici,
Roedd rhywbeth mawr o'i le –
Fe lyncodd frechdan at ei nyrfs
A'i golchi lawr 'fo te.

Nawr mae'r gw'nidog yn y 'sbyty
A'i feddwl dal yn wan,
A Dewyrth Now bob bore
A'i lygad ar y pan.

O law i law

Tarth a niwl a gwlith a glaw
Yn tywallt i lawr neu'n treshio
Hen wragedd bychain gyda'u ffyn
Yn arllwys neu'n pistyllio.
Mae'n ddilyw yma, yn stido draw,
Mae'n ddagrau neu mae'n smwcian,
Ond ym mhob cawod, doed a ddêl:
Heb ymbarél, dwi'n socian!

Socsan

Un droed sych a'r llall yn slwts,
cadach llestri lle bu hosan,
Un sîbwt yn dal dŵr mewn,
a'r llall yn ei gadw allan.

A B X?

Mewn geiriaduron da o hyd
Mae llythrennau bach yn brysur,
Pob un yn sefyll gefn wrth gefn
Yn cadw trefn ar ystyr.
Ond petai dim ond un o'r rhain
Yn penderfynu crwydro,
Wel, mi fyddai hi'n wahanol fyd
A ninnau i gyd yn mwydro.

Beth petaech chi, ar ddiwedd dydd,
Rhyw awr cyn mynd i'r gwely
Yn gofyn, 'Mam, dwi'n blentyn da –
O plis ga i wylio'r **j**eli?'

Beth petai'r gw'nidog ar y **M**ul
Yn dweud wrth bawb yn dawel
Ei fod yn disgwyl gweld nhw i gyd
Yn selog yn y ca**m**el?
A beth petasai fo ryw ddydd
Yn priodi m**a**rch a b**w**chgen,
A'r **n**am yng nghyfraith yno'n falch
yn rhoi ei**th**in ar y gacen?

Rhaid i lythrennau gadw'u trefn
Yn gyson, neu bydd pobl,
Fel roedd Ifan **P**wrci **P**enau'n dweud,
Yn gwneud dim **t**ent o g**o**bl.

Holi Dolig

'Annwyl Siôn Corn,
Yn fy ngwely
Rwy'n poeni am blant bach y byd.
Mae hi'n bwysig ymweld â'u cartrefi
Gydag anrheg i'r cwbwl i gyd.
Ond ble mae y simne ar wigwam?
Ar iglw, ymhle mae y corn?
A sut dach chi'n anfon i gychod ar afon
A llongau dan hwyl rownd yr Horn?
Oes 'na grât mewn tŷ papur yn Tseina?
Ac yn Affrica, ble mae y ffliw?

Oes 'na ddigon o grac yn nhoeau Irac?
Oes man glanio ar doeau Periw?
A beth am tŷ ni yma 'Nghymru?
Peidiwch siomi, 'rhen Siôn, blentyn bach.
Mae'n anodd gweld pwy ddaw drwy foilar y nwy
Gyda welis, chwe charw a sach.'

'Mae yfory yn Ddolig ym mhobman,'
Meddai'r hen ŵr, yn barod i'r daith,
'Os yw'ch calon ar agor, fydd dim eisiau rhagor
I San Niclas gyflawni ei waith.'

29

Angau Anghyffredin

Roedd Rexi y deinosor pinc
Yn golchi ei draed yn y sinc;
Tynnodd rywun y plwg,
Daeth ryw sŵn – glwg glwg glwg –
A rŵan mae Rex yn extinct.

'Rôl colli ei allwedd un tro
Aeth Neli y neidar o'i cho.
Llwyddodd esgimo 'i thewi
Ar ôl iddo'i rhewi
A'i stwffio drwy dwll bach y clo.

Fampir barus oedd Breian y bat,
Yn hongian a'i ben tua'r mat.
Roedd ei fol llawn o'i waed o
Yn rhy drwm i'w draed o,
A rŵan mae Breian yn fflat.

SBLAT!

Anifeili-od

Jiráff tra ffasiynol oedd Mei,
Pan ddaeth gwahoddiad priodas i'r fei
Fe frysiodd y llanc
Yn syth lawr i'r banc
Ac mi wariodd pob dima ar dei.

Mil o ddannedd sgin Cen Crocodeil
Sy'n nofio yn nyfroedd y Neil.
Cyn brecwast a chinio,
Mae o'n brysur yn brwsio,
Mae o'n glên ac mae'i wên o'n werth chweil.

Roedd Taid Wiwer yn flin efo'i ŵyr
Am fod Cemlyn yn cysgu mor hwyr.
Mi gysgodd drwy'r Dolig
A gwanwyn arbennig,
A methodd fis Ebrill yn llwyr.

Rhoddodd eliffant sioc mawr i Paul
Pan ddaeth y syrcas tro cyntaf i'r Ddôl;
Gwaeddodd Paul – 'Ddim yn fanna
Ti'n stwffio banana.
Ma'i ben blaen o 'run peth â'i ben-ôl!'

Ein planedau

Mae **Mercher** yn lle poeth,
Y lleiaf un yw hwn,
Does yno ddim awyrgylch
Ar y planed bychan crwn.
Mae **Gwener** dan gymylau
Yn cuddio'i wyneb teg;
Mae'n llawn nwyon a dirgelion
Ac mae'n troi yn ara deg.

Y Ddaear yw ein cartref,
A'i tir a'i moroedd maith;
Amddiffyn ei hamgylchedd
Yn ddyddiol yw ein gwaith.
Mae **Mawrth** yn blaned coch,
Mae o'n sych ac mae o'n oer
A does dim bywyd yno,
Fel wyneb llwyd y lloer.

Iau yw'r mwyaf un
O'n cymdogion yn y nen,
Mae ganddo un deg chwech o blant
A sbot coch ar ei ben!
Modrwyon hardd yn rhes
Sydd gan **Sadwrn** am ei fol
O gerrig mân a thalpiau rhew,
Sy'n troi fel olwyn trol.

Wranus, Neifion, Plwton,
Mae'r rhain i gyd yn bell,
Yn dywyll, oer a marw –
Mae aros adre'n well!

Syn-ema

Pan es i weld *Twister* ddes i allan fel y gwynt.

Pan es i weld *Speed* ddes i allan yn gynt.

Roedd y byd i gyd yn ddiarth ar ôl gwylio *Aliens* tri.

Fues i'n bwyta mwd o'r buarth ar ôl *Babe*, do, coeliwch fi.

Ond ar ôl gwylio'r *Little Mermaid* maen nhw'n dweud fy mod i'n granc,

Dwi'n eistedd yn y parlwr – efo'r pysgod – yn y tanc.

Haik – W!

Cerdd fer yw Haiku –
Pum sill, saith sill, yna pump.
Dechrau, a wedyn . . .

Nain yn hapus

Mae Nain yn wreigan hapus,
Yn llawn o hwyl a sbri;
Dwi 'rioed 'di'i gweld hi'n gwgu
Nac yn dwrdio 'mrawd a mi.

A phan ddaeth hi i aros
Am benwythnos yn tŷ ni,
Hi oedd y wraig hapusa
Erioed a welsoch chi.

Hyd 'n oed pan oedd hi'n cysgu,
Roedd ei dannedd gwynion cry
Mewn gwydr wrth ei gwely
Yn gwenu arnon ni!

Nadolig neidar . . .

Pwy fyddai'n tharff droth y Dolig
Pan fo'r tunthyl yn thgleinio'n y coed,
Pan fo'r thiopa' yn llawn o brethanta'
A'r eira yn drwchuth dan droed?

Bryd hynny, mae'n anodd i neidar
Thy'n foel ac yn hollol ddi-flew
I thglefrio ei ffordd lawr i'r thiopa'
Gyda'i bola hi'n thtyc yn y rhew.

Pob dydd lawr i thyrjyri'r doctor
Rwy'n thleifio yn tharrug fy myd,
Mae'r barrug yn berygg – dwi'n diodda
Gan lothgeira dair troedfedd o hyd!

Eleni, pan ddaw Thanta drwy'r thimdde,
Bydd nodyn o dan y minth peith
Yn gofyn 'ddo gofio am neidar
Thydd yn thythu ac yn haeddu thyrpreith.

Mor braf fyddai deffro ben bore
A Thiôn wedi cofio'r tharff fach,
Gan adael y prethant bach gora
Na roddodd erioed yn ei thach.

Tra bo pawb yn y byd wrthi'n gwagio
Pob hothan a hongiwyd droth noth,
Mi lithrwn yn haputh i lenwi
Un o thanau gwlân gwag Thanta Cloth.

Morus, be ti 'di neud?

Pan godais fore heddiw roedd y byd a'i ben i lawr
Fel tasai wedi'i ysgwyd yn wallgo gan ryw gawr.
Ond Morus fuo'n rhuthro a rhuo rownd y rhod,
Yn codi hwn a gollwng llall lle doedden nhw'm i fod.
Mae'r gath yn socian ac o'i cho, yn nofio efo'r pysgod,
A tharw Robat Ifans, Llan, mewn berfa'n ofn ei gysgod.
Mae blwmar Nain am ben rhyw iâr, a dim un sbâr i'w wisgo.
Ar ben y corn mae Pero'n sâl, a'r erial yn 'i gwt o.

Mae'r pobydd methu dallt yn wir, lle aeth ei fan a'i fara –
Fe welwyd torth uwchben y Borth yn fflio i Connemara.
Roedd Nigel Smith mewn carafán a doedd o ddim yn licio
Fod ei botel nwy yn Myanmar a'i olwyn sbâr yn Tokyo.
Mi ddeffrodd Yncyl Wil mewn llwyn – 'Mae rhywun 'di dwyn Beti!'
Ac mi deffrodd honno bron o'i cho mewn ogof efo Yeti.
'Nôl yn ei dŷ mae Morus, a'r newyddion ar y sgrin
Yn llawn o bobol wallgo yn sôn amdano'n flin.
A thra bo'r byd yn twtio ac yn cwyno am ei strach,
Yr unig sŵn wna Morus yw chwyrnu'n ddistaw bach.

Morus, Ifan a Wil

Mae Ifan, Wil a Morus yn frodyr, medda rhai,
Yn byw tu draw i'r gorwel, mewn rhesiad fach o dai.
Mae Morus yn y cyntaf yn gyflym iawn ei hynt
Yn chwythu'n wallgo bob un dydd, am mai Morus ydi'r gwynt.
Glaw, wrth gwrs, yw Ifan, yr ochor draw i'r stryd,
Wrth ei fodd yn wlyb fel sbangi, yn rhoi socsan fawr i'r byd.
Mae 'na dŷ bach yn y canol 'di beintio'n llawer lliw,
Mae'n gynnes a chysurus lle mae Wiliam bach yn byw.

Mae Wil yn fachgen hapus, mae'n garedig ac yn glên.
Mae o'n gweld y gora 'mhopeth, mae 'na obaith yn ei wên.
A phan fo'r glaw'n pistyllio a'r gwynt yn rhuo'n gry
Mae Wiliam bach yn mochel yn dawel yn ei dŷ.
Ond diwedd ddaw i'r ddrycin, a'r ddau 'di blino'n lân;
Mae'r brodyr yn mynd adref i eistedd wrth y tân.
A dyna pryd ddaw Wiliam i wenu ar y byd –
Mae'n dda gan bawb groesawu ei wyneb hardd o hyd.
Yno rhwng cymylau mae swyn yr hogyn swil
A'i wên ben ucha'n isa – yr enfys ydi Wil.

Gwyliau

Ar lan y môr mae tuniau'n rhydu,
Ar lan y môr mae napi'n pydru,
Ar lan y môr mae taclau'n tyrru,
Dwi'n mynd am dro i'r mynydd fory.

Ar ben y bryn mae jîp yn gyrru,
Ar ben y bryn mae niwl yn rhynnu,
Ar ben y bryn mae rhai'n difaru,
A helicoptar yn eu casglu.

I fyny'n llofft y mae fy ngwely,
I fyny'n llofft mae llonydd, felly,
I'r llofft yr af a throi y goriad
A rhoi fy mhen o dan y dillad.

Tawel ar y mynydd

Mae'n dawel;
Dio'm yn llyn, nac yn fryn,
Ddim yn nant, nac yn bant,
Dio'm yn dwll;
Dio'm yn bistyll nac yn rhaeadr na phwll.

Mae'n dawel;
Dio'm yn rhedyn na gwybedyn,
Dio'm yn garw nac yn darw,
Dio'm yn frân;
Dio'm yn fwdlyd nac yn fudur, dio'm yn lân.

Mae'n dawel;
Dio'm yn fawnog nac yn sgwarnog,
Dio'm yn fwni nac yn ddraenog,
Dio'm yn hebog nac yn llwynog nac yn llyg.
Ond mae'n dawel fel yr awel, fel y gwynt ar grib y gorwel
Oherwydd ei fod o'n dipyn bach yn **grug**.

No Wê

Dwi'n Bi Bi Emio cannoedd, dwi'n frith ar Google Map,
Dwi'n Instagramio'n ddyddiol ac yn enwog ar WhatsApp.
Mae fy Flickr i'n llawn lluniau, mae fy fideos Vine i'n wych,
Mae fy wyneb i mewn Selfie yn amlach nag mewn drych.
Dwi'n arwr mawr digidol, ar Twitter fi 'di'r trend,
Dwi'n treulio pob un munud sbâr yn pwyso'r botwm 'send'.
Gen i fil o ffrindia Facebook, maen nhw i gyd yn 'hoffi'n' llun
Ond pan mae'n rhaid ll'nau cwt fy hamster – dwi ar fy mhen fy hun.